グレタ・トゥーンベリ

ヴィヴィアナ・マッツァ 著
赤塚きょう子 訳

Published by special arrangement with

Mondadori Libri S.p.A. through Tuttle-Mori Agency,Inc.,Tokyo.

This book is an unofficial biography.

目次

はじめに

グレタ・トゥーンベリはスウェーデンのティーンエイジャーで、今やロックスター並《な》みの有名人です。でも、ずっと有名だったわけではありません。

スウェーデンで森林火災《かさい》がたくさん起きた二〇一八年の夏のあと、グレタは――それまでだれもグレタのことなど知らなかったのですが――ほんの数か月で地球環境保《かんきょうほ》護《ご》活動のリーダーになりました。今では、その活動に大勢《おおぜい》の子どもたちが参加しています。

グレタは、二〇一八年の八月下旬《げじゅん》に学校の**ストライキ**をはじめました。ストライキとは、労働者がものごとの改善《かいぜん》を求めて、みんなで仕事を放棄《ほうき》することです。グレタ

2020年1月24日
ダボス会議の会場周辺で温暖化対策《おんだんかたいさく》のデモに参加するグレタ（写真：AP/アフロ）

が求めたのは、すでに進んでいる気候変動を止めるために、大気中の温室効果《こうか》ガスを大幅《おおはば》に減《へ》らすことでした。

子どもたちは、科学者たちが昔からうったえているけれど、聞き入れてもらえないことをくり返しているだけなのです。二〇〇七年にノーベル平和賞を受賞した研究者グループ、ＩＰＣＣ（気候変動に関する政府間《せいふかん》パネル）は、できるだけ早く手を打たなければ、今世紀の終わりには地球の気温は約三度上がると予想しました。

世代間の対立も進んでいます。大人たちが何も行動を起こさずにいる一方で、グレタやグレタと同じ年頃《としごろ》の子どもたちは――まだ年齢《ねんれい》が満たないので、選挙で投票することも、環境《かんきょう》についての国の取り組みを決めることもできませんが――自分たちの子どもや孫がどうなるかを気にしています。二十二世紀の世界に生きるのは自分たちの子どもや孫だからです。世界を救いたい、自分たちのため、そして地球のために未来がほしいと願っていますが、大人の助けがなければうまくいかないことはよくわかっています。だから、わたしたち大人の目を向けさせようと決めたのです。

ヴィヴィアナ・マッツァ

1章

グレタ
世界を変えている少女

あの子がグレタ・トゥーンベリ

「どれがグレタ？　どれなの、お母さん？」

四月にしては暑い二〇一九年のある朝、日なたで三時間近く待っている女の子が聞きます。

「まんなかの、あの小さい子よ」

ローマのポポロ広場で、大勢《おおぜい》の子どもたちと親たちが立って待っています。日傘《ひがさ》の下で日の光をさけている人。大きな風船の地球儀《ちきゅうぎ》の下にいる人。うでとおでこを噴水《ふんすい》の水でぬらす人。

2019年4月19日
ローマのポポロ広場で気候危機《きき》についてスピーチをするグレタ（写真：ロイター／アフロ）

みんな、グレタに会いにきました。グレタのおかげで、環境《かんきょう》のために何をやるべきか、わかったのです。

南はシチリアから北はフリウリまで、イタリアのあちこちから来た、若《わか》い環境《かんきょう》活動家*たちが、ひとりずつステージに上がって話をします。**百二十八台の自転車**につながれた発電機から、マイクとアンプ用の電気をとっています。**ペダルをこぐと電気が生まれるしくみ**です。

*108ページ参照。

最後に、長い三《み》つ編《あ》みを左右に垂《た》らした、小さくてやせ形のグレタが、興奮《こうふん》している人たちの前に現《あらわ》れます。SKOLSTREJK《スコールストレイク》 FÖR《フォ》 KLIMATET《クリマーテット》〈気候のための学校ストライキ〉と大きな字で書いた、使いこんだプラカードをかかえています。

「ローマのみなさん、こんにちは」

ほかの人たちとちがって、グレタは声を張《は》り上げません。小さな声で静かに、でも、きっぱりと話します。

「気候危機《きき》が取り返しのつかないことになるまで、あと十一年くらいです。そのころ、わたしは二十六歳《さい》です。妹のベアタは二十三歳《さい》です。わたしたちのほとんどは二十代です。素敵《すてき》な年頃《としごろ》だといわれます。人生のすべてがその先にあるからです。

でも、そういわれるほど素敵《すてき》な年頃《としごろ》なのか、わたしにはよくわかりません。なぜなら、わたしたちの未来は売られてしまったからです。ほんのひとにぎりの人たちが、想像《そうぞう》できないほどたくさんのお金をもうけるために、わたしたちから未来をうばったのです」

ふっくらとした顔をしているせいか、グレタは一見、十六歳《さい》という年より幼《おさな》く見えますが、見方によってはずっと年上にも見えます。たいてい、まじめな顔をしているからです。話すときは軽くまゆをひそめます。そして、**眼差《まなざ》しで大人たちを問いつめます**。まっすぐな堂々としたその眼差《まなざ》しは、グレタの短くわかりやすい言葉とぴったり合っています。

ある暑い日

ローマのポポロ広場に行く二日前のことです。グレタは、列車でローマ・ティブルティーナ駅に着きました。飛行機には絶対《ぜったい》に乗りません。環境《かんきょう》にとても悪い影響《えいきょう》をあたえるからです。それから**ローマ教皇《きょうこう》フランシスコ**に会いました。世界のリーダーのなかで、気候について まじめに話すのは教皇《きょうこう》だけなので、グレタは教皇《きょうこう》をとても尊敬《そんけい》しています。教皇《きょうこう》はグレタをはげましてくれました。

「神があなたを祝福されますように。このまま続けなさい。続けるのです！」

その翌日《よくじつ》、グレタはイタリア上院で政治家《せいじか》たちをしかりました。

「たくさんの有力者からおめでとうと言われるのですが、何がおめでとうなのかわかりません。

大勢《おおぜい》の生徒たちが気候のためのストライキをおこなったのに、何も変わっていません。環境《かんきょう》をよごす物質《ぶっしつ》の排出《はいしゅつ》もそうです。

わたしたちがデモに参加するのはスマートフォンで自撮《じど》りをするためではなく、政《せい》治家《じか》に行動してもらいたいからです。自分たちの夢《ゆめ》と希望を取りもどすために、ストライキをおこなっているのです」

政治家《せいじか》たちは、グレタの批判《ひはん》を余裕《よゆう》のほほえみで聞いていました。

朝から暑い日でした。スウェーデン人のグレタにとって、四月なのに暑いなんて、なんだか変です。グレタは手をふってあいさつすると、厳《きび》しく言いました。

「正直に言って、政策《せいさく》になんの変化も見られません。だから、わたしたちが準備《じゅんび》をしなければならないのです。わたしたちの戦いは、数週間や数か月でどうにかなるものではありません。何年もかかります」

二〇一五年に、二〇二〇年からの地球温暖化対策《おんだんかたいさく》のルールがつくられました。これが**パリ協定**です。パリ協定で決められたように、平均《へいきん》気温が上がるのを二度以内におさえるためには、スウェーデンのような豊《ゆた》かな国は、二酸化炭素《にさんかたんそ》の排出《はいしゅつ》量を毎年、少なくとも十五パーセント減《へ》らさなければなりません。アメリカはパリ協定からぬけ、そのことを各国が責《せ》めましたが、協定を結んでいる国のなかで、ルールを守っている大国はほとんどありませんでした。

自動車や工場、発電、森林伐採《ばっさい》などによって、**大気中に排出《はいしゅつ》される二酸化炭素《にさんかたんそ》の量が増《ふ》えていること**、地上の平均《へいきん》気温が上がっていること、また、南極と北極の氷がとけて、海の温度が上がり、水位が上がっていることを、科学者はずっと前から警告《けいこく》しています。

つまり、**大気中に排出《はいしゅつ》される二酸化炭素《にさんかたんそ》の量を減《へ》らさなければ、わたしたちみんなにとって、大変なことになるのです**。

どうして政治家《せいじか》はこの問題に取り組まないのか、どうして、相変わらず石油をほり、石炭を燃《も》やしているのか、なぜ多くの大人にとって、未来はどうでもいいものなのか、グレタやグレタと同じ年頃《としごろ》の子どもたちにはわかりません。

若《わか》き環境《かんきょう》活動家

すべては二〇一八年八月二十日にはじまりました。

九月九日のスウェーデン総選挙《そうせんきょ》まであと数週間というとき、**グレタ**は自転車をこいで、ストックホルムにある国会議事堂の前に、はじめてやってきました。

かべにもたれかかって、プラカードをそばに置くと、地面にキャンプ用のマットレスを広げて座《すわ》りました。この日グレタは、**気候変動に対してなんらかの行動をおこなってほしいと、ひとりでうったえた**のです。

でもグレタはもうひとりではありません。今では、たくさんの人たちがグレタのまねをして、おもに金曜日に、気候のためのストライキをおこなっています。ストライキをおこなう団体《だんたい》には名前があります。フライデー・フォー・フューチャー。未来のための金曜日という意味です。

二〇一**九年三月十五日金曜日**、とても冷たい雨のなか、グレタは国会議事堂の前にいました。黄色いレインコートを着て、リュックサックを背負《せお》って、白いニットのぼうしから三《み》つ編《あ》みが飛び出しています。

まさにこのとき、世界中の**百をこえる国**の**二千以上の町**で、百五十万人以上の子どもたちがグレタと一緒《いっしょ》に活動していました。広場や通りをうめつくして、気候変動のために行動してほしいと、大人たちにうったえました。**気候変動**は、もはや、疑《うたが》いようのないことなのです。

たくさんの人たちがデモに持ってきたプラカードに、「**未来がないのに、どうして勉強するの？**」「大人が宿題をやるなら、わたしたちも宿題をやる」といった十六歳《さい》のグレタが言った言葉を書いている人がたくさんいるなんて、すごいことです。

イタリアには、「**グレタと一緒《いっしょ》に地球を救《すく》おう！**」というプラカードや、グレタの言葉に刺激《しげき》を受けて生まれた、『もう時間がない』*という歌までありました。ローマのポポロ広場のステージで使う電気を、ペダル式の発電機でまかなうというアイディアを出し、そのための道具を用意してくれたバンド、Têtes de Bois《テット・ド・ボワ》の曲です。

少し前まで、おとなしくて目立たないティーンエイジャーで、何かを変えるには幼《おさな》すぎると思われていた**グレタ**が、**運動のリーダー**になりました。

通りでグレタに出くわすと、顔をかがやかせる人が多いのですが、グレタの方は、

＊20ページ参照。

いつもちょっと近づきがたい、心配そうな顔をしています。

グレタの顔が本当にかがやくのは、犬のモーセスやロキシーを見ているときだけ。同じ年頃《としごろ》の子どもたちと一緒《いっしょ》にいるよりも、**大人や動物と一緒《いっしょ》にいる方が好きなのです。**

グレタは声が小さく、あまりしゃべりません。しゃべらなくていいと思えば、何も言わずに、うなずくだけのこともよくあります。

でも、ステージに上がって、カメラのスイッチがオンになり、マイクを向けられると、顔つきはほとんど変わりませんが、グレタの口から出た言葉からは、静かないかりがうかんできます。**うそがつけないので、ぶっきらぼうな言い方になり**、皮肉を言うこともあります。

グレタにささげる歌

『もう時間がない』

作詞・作曲：Têtes de Bois《テット・ド・ボワ》

時間　もう時間がない
ぼくは今動く　そうしないと後悔《こうかい》するから
時間　もう時間がない
ぼくらはここだ　今がそのとき

だれかが言いにくるまで
待っているなんて　もううんざり

今こそ行動するときだなんていう
そんな言葉にはうんざり
ぼくらは
もう飛べない凧《たこ》のようだ
でも、力と勇気さえあれば
凧《たこ》を上げることはできる

時間　もう時間がない
ぼくは今動く　そうしないと後悔《こうかい》するから
時間　もう時間がない
ぼくらはここだ　今がそのとき
ぼくらはここにいる　だって

みんなで一緒《いっしょ》に何かをするのに
若《わか》すぎるということはない
そして　やりたい気持ちが　少し力をくれる
だれかが言いにくるまで
待っているなんて　もううんざり
今こそ行動するときだなんていう
そんな言葉にはうんざり

時間　もう時間がない
今行こう　今がそのとき
ぼくの人生と　これからやってくる時間を
変える力は　君たちに残さない

心をこめてやっていることを　君たちにはやらせない
時間　もう時間がない
ぼくは今動く　そうしないと後悔《こうかい》するから
時間　もう時間がない
ぼくらはここだ　今がそのとき

ぼくは今動く……

素顔《すがお》

小学生のころ、グレタはクラスメートに指をさされたり、からかわれたり、休み時間につき飛ばされたりすることもありました。そのたびにトイレににげて、泣いていました。子どもはみんないじわるだと思いました。だから、友だちなんてほしくありませんでした。

でも、グレタにはゴールデンレトリーバーの**モーセス**がいました。モーセスをなでたり、可愛《かわい》がったりして、何時間も過《す》ごしました。それから、**ロキシー**がやってきました。なかなか言うことをきかない、つかれ知らずの黒いラブラドールレトリーバー

2018年4月17日
大好きな犬のモーセスとロキシーを可愛《かわい》がってなでているグレタ
（写真：TT News Agency/ アフロ）

です。前の飼《か》い主《ぬし》に捨《す》てられたロキシーは、グレタのお父さんとお母さんに引き取られなければ、ケージのなかで一生を終えるところでした。

グレタはキッチンのゆかに座《すわ》り、モーセスのふさふさした白っぽい毛を、使いこんだくしでとかしてやります。やわらかい毛に鼻をうずめるのが好きで、モーセスのにおいをかぐのが大好きです。グレタが大きな声で笑うと、ロキシーがソファに飛び乗って、ほえはじめます。

未来がほしい

「わたしたちは生存《せいぞん》の危機《きき》を前にしているのです。人類最大の危機《きき》です」

二〇一九年三月十五日、ストックホルムで、グレタははっきりそう言いました。

気候危機《きき》はみんなのせいだと言われると、グレタはおこります。

「でも、この危機《きき》を知っている人たちは何十年もの間、見向きもしませんでした。だれのことをさしているのか、わかりますよね。見向きもしなかったのはあなたたちです。ほとんどすべて、あなたたちのせいです。わたしたち若者《わかもの》のせいではありません。この世に生まれたら、すでに危機《きき》が起こっていて、残りの人生をこの危機《きき》と一緒《いっしょ》に生きなければならないのです。わたしたちの子どもも、その子どもも同じです。未来の人たちも同じです。

でも、そんなことは受け入れられません。このままになんてさせません。**そのためにストライキをおこなうのです。未来がほしいから、ストライキをおこなうのです**」

きっかけ

グレタはほかの子とは少しちがいます。何が起ころうと受け流せる子もいますが、グレタは悲しみや心配ごとから気をそらすことができません。

グレタが気候変動についてはじめて聞いたのは、八歳《さい》のときでした。信じられませんでした。「**そんなことありうるの？**」だって、本当に生存《せいぞん》の危機《きき》が――人間がいることそのものをおびやかすものがあるのなら、だれもがなんとかしようとするのではないか」と思いました。みんな、まるで何事もないかのように生活しているのだから、本当であるはずがないと思ったのです。

十一歳《さい》のとき、授業中《じゅぎょうちゅう》に、**海にあるごみ**についてのドキュメンタリーを見ました。グレタはショックを受けました。日本の五倍以上の大きさの、プラスチックごみが集まってできた島が、太平洋のチリ沖にういていることを知りました。

グレタは泣き出しました。よごれた水のために、食べるものがなくて死んでいくホッキョクグマのために、工場のえんとつから出て、わたしたちが吸《す》っている空気をよごしている温室効果《こうか》ガスのために。

グレタには、もう、何も知らなかったときのように生活していくことはできませんでした。クラスメートたちも環境《かんきょう》のことを心配しているように見えましたが、先生がテレビを消してあかりをつけると、環境《かんきょう》について考えるのはやめたらしく、携帯《けいたい》電話をいじりだしました。

でも、グレタの頭には見たものが焼きついていました。グレタは発達障害《しょうがい》のひとつ、**アスペルガー症候群**《しょうこうぐん》をかかえています。とても頭が良くて、いつも学ぶことに興味《きょうみ》がありました。たとえば、幼《おさな》いころに、元素《げんそ》の周期表を暗記してしまいました。何も見ないで言おうとすると、正しく発音できないものがいくつかあるのが気になってはいましたが。その一方で、同じ年頃《としごろ》の子どもたちとはうまく話せませんでした。

時々《ときどき》、人生がややこしくて、ごたごたしていて、こわくなることがあります。興味《きょうみ》のあることにこだわりすぎて、自分の時間を全部そのことに使ってしまい、友だちと話すとか歯をみがくといった、ほかのことをするのを忘《わす》れてしまうようなこともあります。気候変動を知ったグレタに起きたのは、まさにそんなことでした。

未来がないという事実のなかで生きることに、どんな意味があるのでしょう？　グレタには何もかもが、とても悲しく、まちがっているように思えました。自分のなかに閉《と》じこもるようになり、二か月で体重が十キロくらい減《へ》りました。心理カウンセラーにすすめられ、お父さんとお母さんは、かべに白い紙をはって、そこにグレタが何を食べたか、食べるのにどれだけかかったかをメモしました。

朝食：バナナ三分の一。かかった時間　五十三分。

昼食：ニョッキ五個《こ》。かかった時間　二時間十分。

こうして、グレタは学校に行かなくなりました。先生のひとりが、こっそり図書館で勉強を教えてくれました。

体重は増《ふ》えません。何度も入院しました。グレタの体が年の割《わり》に小さいのは、このころのせいなのかもしれません。けれど、しばらくすると、お父さんとお母さんに心を許《ゆる》し、心配でたまらないことについて、話すようになりました。

「すべてうまくいくからね」

お父さんとお母さんはグレタにきっぱりと言いました。グレタは信じませんでした。でも、なやみを話せたことで、救われました。

そして、写真や図、ドキュメンタリーを見せたり、本や記事、レポートを一緒《いっしょ》に読んだりしながら、お父さん、お母さんと、**気候変動**について意見を交わしているうちに、二人がいつの間にか、グレタの言っていることに本気で耳をかたむけるようになったと気づきました。

長い栗色《くりいろ》の髪《かみ》をした**お父さんのスヴァンテ**は、俳優《はいゆう》でしたが、グレタと妹のベアタが生まれたあと、仕事を辞めました。今は主夫だと本人は話しています。スヴァンテという名前は遠い親戚《しんせき》のスヴァンテ・アレニウスからもらったものです。一九〇三年にノーベル化学賞を受賞した科学者で、温室効果《こうか》をはじめて計算しようとした人です。

お母さんのマレーナは有名なオペラ歌手です。グレタとベアタが幼《おさな》いころは、公演《こうえん》のために、家族全員で二か月ごとに町から町へと移《うつ》っていました。けれど、二酸化炭素《にさんかたんそ》排出《はいしゅつ》量を増《ふ》やすようなことはしたくないので、二〇一六年以後、飛行機に乗るのはやめ、世界中で仕事をするのはあきらめました。

マレーナとスヴァンテはこれ以上ガソリンを使わなくて済《す》むよう、ステーションワゴンを売って電気自動車を買いました。家の屋根の上にソーラーパネルを取りつけて、ストックホルムの中心に暮《く》らしながら、農薬を使わずに野菜を育てはじめました。二人は*ビーガンになりました。肉や乳製品《にゅうせいひん》を食べるためには、ウシやブタなどを育てる必要があります。しかし、そういった動物たちを育てる間に、多くの温室効果《こうか》ガスが排出《はいしゅつ》され、資源《しげん》やエネルギーがたくさん消費されるからです。

とはいえ、マレーナは時々《ときどき》、夜おそく、我慢《がまん》しきれずにチーズをひとかけら食べてしまうことがあります。グレタには気づかれていないと信じながら。

お父さんとお母さんが変わりはじめたことで、グレタは、自分のような女の子でも、やろうと思えば、できることがあるのだとわかりました。未来がないことを悲しんでいるなんて、時間の無駄《むだ》です。人生、やろうと思えば、できることはたくさんあるのだから。

*肉や魚、乳製品《にゅうせいひん》、卵《たまご》などの動物性食品を食べない人のこと。

決意――気候のための学校ストライキ

二〇一八年五月、グレタはスウェーデンの新聞がおこなった環境《かんきょう》問題についての作文コンテストに応募《おうぼ》し、なぜ今、行動を起こさなければならないのかを説明した作文で入賞しました。作文を読んだ環境《かんきょう》活動家がグレタに連絡《れんらく》してきて、抗議《こうぎ》活動をおこなおうとしている若者《わかもの》たちのグループに入らないかとさそってきました。教室か校庭でストライキをするのかもしれません。

アメリカ・フロリダ州パークランドの高校で銃乱射事件《じゅうらんしゃじけん》が起きたあと、エマ・ゴンザレスをはじめとする生徒たちがおこなった行動がたたえられ、注目されていました。

事件《じけん》でクラスメートを失った生徒たちが、学校ストライキをおこない、今のアメリカの法律《ほうりつ》で、銃《じゅう》が簡単《かんたん》に手に入れられるようになっていることは、おかしいのではないかと、うったえたのです。

スウェーデンの子どもたちも、そんなかたちで抗議《こうぎ》できるかもしれないと、グレタは提案《ていあん》しましたが、一緒《いっしょ》にやろうという子はいませんでした。

そして、二〇一**八年の夏**がやってきました。この二百六十二年で（つまり、気温が記録されるようになってから）一番暑い夏です。北ヨーロッパは激《はげ》しい熱波におそわれ、森林火災《かさい》が起こりました。普段《ふだん》、こうした問題をあまり気にとめていなかったマスコミでさえも、**気候はわたしたちの時代の重大な問題だ**と報道《ほうどう》するようになりました。

グレタはソファに座《すわ》ってパソコンをひざの上に置いて、ニュースを読んでいました。

自分のなかでいかりが大きくなるのを感じました。

「だれもわたしと一緒《いっしょ》にやりたくないのかな？　それならいいや」

グレタは決めました。

「**ひとりでやる**」

そうしてグレタの頭にひとつのアイディアがうかびました。

「パパ、ホームセンターに行って、板切れを買ってきてくれる？」

八月二十日。グレタはお父さんに買ってきてもらった板を白くぬってプラカードをつくり、〈**気候のための学校ストライキ**〉と書きました。どうして学校の授業《じゅぎょう》を受けずに、地球温暖化《おんだんか》についてうったえることにしたのか、グレタの意見を広めるためのチラシも、たくさん用意しました。
「わたしたち子どもたちは、いつも大人に言われた通りのことをするわけではありません。大人たちのまねをします。**大人たちがわたしの未来を大事にしてくれないのなら、わたしも大人たちを大事にしません**」

そして、自転車に乗り、ストックホルムにある国会議事堂の前に到着《とうちゃく》すると、座《すわ》りこみました。

おしまいにツイッターとインスタグラムに写真と動画をあげました。写真も動画も、すぐに拡散《かくさん》されていきました。グレタは、選挙が終わるまで、毎日学校ストライキをしようと決めていました。

グレタのお母さんが言っているように、ときには、大きな声でさけぶより、ささやいた方が人の心に届《とど》くことがあります。

一日目は、いつもの時間割《じかんわり》通りに朝八時三十分から午後三時まで、教室の机《つくえ》に向かう代わりに、キャンプ用のマットレスに座《すわ》りました。次の日にはもう、グレタのとなりにほかにも子どもたちが何人か座《すわ》っていました。**それがはじまりでした。**

学校ストライキは、その後、選挙が終わってからも、毎週金曜日に続けていくことになります。

家族

グレタを洗脳《せんのう》したとか、グレタを使って自分たちの考えを広めて、お金もうけをしようとしているのだといって、グレタのお父さんとお母さんや環境《かんきょう》活動家グループを責《せ》める人もいました。お父さんとお母さんは、はじめ、学校を休むことにはまったく賛成《さんせい》していなかったと、グレタは話します。それでもグレタは、国会議事堂の前に通い続けました。冬が来て、太陽の光が弱くなり、氷が張《は》り、雪が降《ふ》っても続けました。金曜日の地理や体育、宗教《しゅうきょう》の授業《じゅぎょう》を休んだだけでなく、冬休みに入っても、続けました。おくれを取りもどすため、グレタは**みんなの倍、勉強しました。**いずれにせよ、クラスで一番勉強のできる生徒のひとりでした。

お父さんとお母さんには、グレタが変わっていくのがわかりました。悲しそうな顔をしていた女の子が、エネルギーと生命力にあふれた力強い少女になりました。だから、グレタが選んだやり方を受け入れることにしたのです。

スヴァンテはグレタをデモに連れていきました。よそのお父さんたちが子どもをダンスやスキーに連れていくようなものです。ジャーナリストがグレタにインタビューをするときは、グレタからはなれ、近づくのはお昼ごはんをわたすときだけ。肉も乳《にゅう》製品《せいひん》も卵《たまご》もない**ビーガン食**を、グレタはほんの少し食べます。グレタがビーガンになったのは、＊**エコロジカル・フットプリントを減《へ》らすため**です。グレタは食べるものを変えましたが、みんなにも同じことをしてほしいわけではないと言います。

＊91ページ参照。

妹の**ベアタ**は、ここまでのできごとを、あっさりと乗り切ったわけではありません。家族のなかで一番幼《おさな》いのに、いつもひとりでなんとかしようとしてきました。グレタがまともに食事をしなくなって、お父さんとお母さんは、グレタにつきそって、病院に行かなければなりませんでした。そのせいで、おばあちゃんが代わりに学校までむかえにくることになっても、ベアタは文句《もんく》を言いませんでした。グレタがクラスで仲間外れにされたとき、ベアタはグレタに約束しました。

「**わたしがグレタと仲良くする！**」

二〇一**八年九月、ストックホルムで民衆《みんしゅう》の気候マーチ**がおこなわれました。民衆《みんしゅう》の気候マーチは、環境《かんきょう》問題への世界最大の抗議《こうぎ》活動です。この場で、グレタははじめて大勢《おおぜい》の人の前でスピーチすることになったのです。

お父さんとお母さんはとまどいました。グレタはアスペルガー症候群《しょうこうぐん》のほかに、場面緘黙症《かんもくしょう》だとも医者に言われていました。家ではふつうに話せていても、家の外では話せなくなってしまうような、心の病気です。

けれど、お父さんとお母さんの心配をよそに、グレタは完璧《かんぺき》な英語で、落ち着いてスピーチしました。参加者にスピーチの動画を携帯《けいたい》電話でとって、ツイッターやインスタグラム、フェイスブックなどにあげてほしいと、お願いしました。このときの**スピーチ**は、後におこなわれたものと同じく、グレタがひとりで書いたものです。お父さんはグレタをほこらしく思って、なみだを流しました。

スイス・ダボスにて

二〇一九年一月、グレタは、スイスの雪でおおわれた山々《やまやま》の間にある、ダボスに招《まね》かれました。ここで毎年、世界経済《けいざい》フォーラムの年次総会《そうかい》（ダボス会議）が開かれ、世界中から有力者が集まります。グレタはストックホルムからダボスまで、三十二時間かけて列車でやってきて、

同じようにして帰りました。飛行機には乗らないからです。

それでも、グレタのサンドウィッチがラップで包んであるとか、季節外れのイチゴを食べたなどと、グレタを批判《ひはん》する人がいました。グレタは考えさせられました。自分のうわさを広められるのはいやです。でも、それはグレタの行動によって、だれかがこわいと感じるようなことが起きているということで、意義《いぎ》のあることでもあります。

ようやく目的地に着いたとき、グレタはひどくつかれていましたが、待ち構《かま》えていたジャーナリストたちから、次から次へと質問《しつもん》されました。

「なぜダボスに来たのですか?」

「招《まね》かれたからです」

2019年1月23日
スイスのダボスへ招《まね》かれたグレタにジャーナリストたちが質問《しつもん》している
（写真：AP/アフロ）

「**何を変えたいのですか？**」

「**全部です**」

「希望はあると思いますか？」

「いいえ」

しきりにまばたきして、目をふせながら、そっけなく答えました。しばらくしたら、気分は少し良くなりました。


一日目の夜は、気候を研究している研究者たちと一緒《いっしょ》に屋外で過《す》ごしました。かれらは気がかりな研究結果について話をしようと、山でテントを張《は》っていたのです。ジャーナリストたちは、火のまわりで暖《あたた》まりながら、グレタを待っていました。

「思いがけない経験《けいけん》です」とグレタはジャーナリストたちに言いました。話をしているとき、はく息が空気中でこおって、小さな雲のようになっていました。

「自家用機でダボスに来て、高級ホテルにとまっている人もいます。その一方で、列車で来て、テントでねむる人もいるのです」

スイスで、**ジャーナリストたち**は、グレタのあとについてあちこち走り回りました。学校を休む金曜日にはなんの授業《じゅぎょう》があるのか聞こうと、エレベーターに入りこむ人がいれば、グレタの写真をとろうとして、ほかのジャーナリストたちにおされて、転ん

どうして気候は
あなたにとって
そんなに
大切なの？

どうして、
ダボスに？

グレタ、
グレタ、
写真とらせて！

どうして
ビーガンなの？

飛ぶのがこわいの？

飛行機に乗らないのは
そのせい？

講演会《こうえんかい》では
何を話すの？

でしまう人もいました。

二日目のランチタイムでは、グレタの席は、地球の未来についての討論《とうろん》がおこなわれる演壇《えんだん》の近くで、後ろでは雪が太陽に照らされて、かがやいていました。ピンクのスキー用パンツをはいて、くしゃくしゃの髪《かみ》をしたグレタは、水筒《すいとう》からひとくち飲むと、きっぱりと言いました。

グレタ、大人になったら何になりたいの？

金曜日に学校ストライキをすると、なんの授業《じゅぎょう》が受けられないの？

どうして、何もかも再利用《さいりよう》するの？

世界のどこを変えたいの？

学校の成績《せいせき》は？

ご両親は応援《おうえん》してくれるの？

犬の名前は？

「気候危機《きき》はわたしたちみんなのせいだと言う人がいます。でも、それは都合のいい、言いわけです。なぜなら、みんなのせいにすると、だれのせいでもなくなるからです。そんなはずはありません。責任《せきにん》を負うべき人はいます。一部の人たち、いくつかの企業《きぎょう》、特に、数名の政治的指導者《せいじてきしどうしゃ》は、ものすごい額《がく》のお金をもうけ続けるために、貴重《きちょう》なものをどれほど犠牲《ぎせい》にしているのか、きちんと知っていました」

グレタは続けました。

「そのうちの何人かは、今、ここに来ていると思います」

後日、グレタのスピーチの動画がツイッターにあげられましたが、最後の言葉は、主催者《しゅさいしゃ》にカットされていました。


グレタが厳《きび》しい言い方をすると、イライラして、ばかにしたように笑う人もいます。どう反応《はんのう》したらいいのか、わからないのです。お父さんは心配して、相手をおこらせないよう、グレタに注意します。でも、グレタは思っていないようなことは言えません。アスペルガー症候群《しょうこうぐん》をかかえている人の多くはそうなのです。

ほかの人たちが見たくないものがグレタには見えてしまうのだと、お母さんは言います。

グレタには世界が白と黒に見えます。普段《ふだん》は気候を心配していながら、時々《ときどき》都合よく忘《わす》れて、飛行機に乗ってバカンスに行くようなことはできません。

人々《ひとびと》は、環境《かんきょう》のために何かを犠牲《ぎせい》にする心構《こころがま》えがまだできていないから、厳《きび》しい決まりをつくるのは無理だと、大人たちが言《い》い張《は》ることがあります。**未来のための金曜日**のデモにやってくる子どもたちの多くも、スマートフォンを手放そうとか、買いたいものをあきらめようとは考えていません。ほしいものはなんでも手に入れられると思っていて、必要以上のものを買います。それは自分たちの行動で地球がどう変わっていくのか、気づいていないせいでもあると、グレタにははっきりわかっています。

それでは、もっと気楽に構《かま》えて、おたがいに刺激《しげき》し合えばいいのでは？　とだれかに言われると、グレタは首を横にふります。いいえ、**ありのままに言わないとだめです**。いいことがないからといって、うその希望を広めなければならないのでしょうか？　いいえ、**本当のことを言わないとだめです**。それに、結果的に多くの生徒たちがグレタにならって行動を起こしたということは、大人が何もやらずにいることに対して、おこっている子どもがたくさんいるということなのです。

グレタは、このときダボスでおこなったスピーチを次のようにしめくくりました。「大人たちは言い続けます。『若者《わかもの》に希望をあたえなければならない』と。でも、あなたたちの希望なんてほしくありません。気楽になってほしくありません。パニックに

2018年8月22日
国会議事堂の前で座《すわ》りこむグレタ（写真：TT News Agency/ アフロ）

なってほしいのです。わたしが毎日感じている恐《きょう》怖《ふ》を感じてほしい。それから、行動を起こしてほしい。緊急《きんきゅう》のときにするように行動してほしい。わたしたちの家が燃《も》えているときのように行動してほしい。だって、実際《じっさい》、そうなのだから」

思い

グレタをまねして、**オーストラリアやベルギー、ドイツ、アメリカ、イギリス、日本、イタリア、そのほか多くの国々**《くにぐに》で、たくさんの生徒たちが**気候のための学校ストライキ**をおこないました。

かれらは通りをふさいで、道を行く車に「エンジンを切って」とさけびます。政府《せいふ》に対抗《たいこう》して、新しい団体《だんたい》をつくり、持続可能《かのう》な未来のための声明文を書きます。

「持続可能《かのう》」とは、未来の資源《しげん》や地球の環境《かんきょう》を損《そこ》なわないようにしながら資源《しげん》や自然を利用することです。

学校を休むべきではないと言う人もいます。これについては先生たちの意見も分かれています。休むべきではないのかもしれないけれど、政治家《せいじか》たちは十年間、何もせず、無駄《むだ》にしたではないかと、子どもたちは言い返します。学校を休むより、ひどいのではないでしょうか？

グレタは学校が大好きです。全部の科目が好きで、将来《しょうらい》なりたい職業《しょくぎょう》はたくさんあります。けれど、**まず何よりも、未来がなければなりません**。新聞やテレビが、もっと気候のことを取り上げるようになれば、人々《ひとびと》がもっと気候のことを考えるようになれば、政治家《せいじか》が気候について話せば、丸く収《おさ》まって、平和に暮《く》らせるようになるかもしれません。

そんなに単純《たんじゅん》なことではないのでは？　とジャーナリストたちに問われると、グレタは、「たぶん、単純《たんじゅん》なことです」と答え、かたをすくめます。

グレタにこんなことを言う人もいます。

「あなたたち子どもは、わたしたちの希望です。世界を救ってください」

これもまた、グレタをおこらせます。そんなとき、グレタはこのように答えます。

「でも、**あなたたち大人は、少しでもわたしたちを助けようとは思わないのですか？**」

なぜなら、グレタが大人になって、グレタの世代がリーダーになったときでは、もう手おくれで、どうにもできないのです。

「なんてかしこくて、勇気があるのだ」と、何度も言われました。でも、グレタは本当は内気です。ストラスブールの欧州《おうしゅう》議会で、みんながグレタをほめたたえました。

欧州《おうしゅう》議会では、大人たちの意見が合い、協調するようなことはめったに起こらないので、あまり見られない光景です。グレタは声をつまらせ、なみだをこらえながら、**動物の絶滅《ぜつめつ》**や森林伐採《ばっさい》、海洋の汚染《おせん》と酸性化《さんせいか》について話しました。どれも、わたしたちの生活スタイルがもたらした災《わざわ》いです。

グレタは注目のまとになるのは好きではありませんが、自分が影響《えいきょう》をあたえられると考えるのは好きです。スポットライトの光はおそかれ早かれ、弱まります。いつだってそうです。でも、いつかどうにもできなくなり、やめなければならなくなったとしても、喜んでグレタと代わってくれる人はたくさんいると、わかっています。だれかがぬけても、必ずほかのだれかがその穴《あな》をうめてくれます。

今できることを、自分のために

以前は、グレタには趣味《しゅみ》がたくさんありました。**お芝居《しばい》、歌、ダンス、ピアノ、乗馬……**。

今は毎朝、六時半に起きます。朝食をとって、ニュースを読みます。学校へ行って、へとへとになって帰ってきます。まわりに人がたくさんいると、とてもつかれるのです。

でも、グレタにはやらなければならない宿題があります。さらに、スピーチの原稿《げんこう》を書いて、資料《しりょう》をそろえ、メッセージを送り、デモの用意をしなければなりません。

夕食のあと、早めにベッドに入ります。やることがたくさんあるけれど、自分で選んでやっていることなので、文句《もんく》を言うわけにはいかないとよく口にしています。

もう無駄《むだ》な買いものはしません。買うのは、環境《かんきょう》への影響《えいきょう》が少ないものや食べものに限《かぎ》っています。グレタが持っている新しいものは、だれかからもらったか、だれかから借りたものばかりです。だれかにプレゼントをおくらなければならないのなら、自分でつくります。使っている携帯《けいたい》電話は、五年前、使わなくなった人からゆずってもらったものです。

「手本を示《しめ》すためだけにやるのはいやです。自分のためにやるのです。言っていることと反対のことはやりたくありません」

グレタはアスペルガー症候群《しょうこうぐん》を自らの才能《さいのう》だと思うようになりました。こんなに変わっていなかったら、世界が白と黒に見えていなかったら、もっと人づき合いが良かったら、ほかのみんなと同じで、気候が大変なことになっていることに強い関心を持てなかったでしょう。アスペルガー症候群だから、そのことばかり考えてしまうのです。

グレタは二〇一八年十一月に開かれた「TEDx」でのプレゼンテーションの場で、大人に向けて次のようにうったえました。

「二〇七八年、わたしは七十五歳《さい》の誕生日《たんじょうび》を祝うでしょう。子どもや孫がいたら、その日を一緒《いっしょ》に過《す》ごしてくれるかもしれません。二〇一八年に大人だったあなたたちのことを、わたしに聞くかもしれません。まだ間に合ううちに、どうして何もしなかったの？と」

郵便はがき

111-0056

恐れ入りますが、切手を貼ってお出しください。

東京都台東区小島1-4-3

金の星社　愛読者係

〒□□□-□□□□ ご住所		
ふりがな お名前		性別　男・女 年齢　　歳
TEL　(　　)	ご職業	
e-mail		

●弊社出版目録・お子様へのバースデーカードをさしあげます

★出版目録希望（する・しない）　★新刊案内希望（する・しない）

★バースデーカード希望（する・しない）

おなまえ		西暦　年　月　日生　男・女　歳
おなまえ		西暦　年　月　日生　男・女　歳

★新たに当社の本のご購入がありましたら、下記にご記入ください

書名	本体	円＋税	冊
書名	本体	円＋税	冊

発送はブックモールジャパンに委託しております。送料・手数料は713円です。5,000円以上のお買い上げで送料・手数料無料となります。（お支払は代引きとなります）お急ぎの場合は、直接ご連絡ください。

お問い合わせ先　金の星社／TEL03-3861-1861

般2004

よりよい本づくりをめざして

お手数ですが、あなたのご意見ご感想をおきかせください

1. お買い上げいただいた本のタイトル

(　　　　　　　　　　　　　　　　　　　　)

2. この本をお求めになった書店あるいは □プレゼント（間柄　　　　）

市区町村　　　　　　　書店　　　　年　　月　　購入

3. この本をお読みいただいたご感想は？

●内容　1. おもしろい　2. つまらない　3. やさしい　4. むずかしい　5. 読みやすい　6. 読みにくい　7. 感動した　8. ふつう

●表紙のデザイン　1. よい　2. ふつう　3. わるい

●価格　1. 安い　2. ふつう　3. 高い

●ご意見、ご感想をぜひお聞かせください。

4. この本をお知りになったのは？

1. 書店　2. 広告　（新聞　　　　雑誌　　　　）

3. 図書館　4. 書評　（新聞　　　　雑誌　　　　）

5. DM・チラシをみて　6. 先生・両親・知人にすすめられて

7. 当社目録をみて　8. その他（　　　　）

5. この本をお求めになった理由は？

1. タイトル　2. テーマ　3. 作家・画家のファン　4. 表紙デザイン

5. 帯にひかれて　6. 広告　7. 書評　8. 人にすすめられて

9. その他（　　　　）

6. 今後読んでみたい作家・画家・テーマは？

7. よくお読みになる新聞・雑誌は？

新聞（　　　　）　雑誌（　　　　）

▼こちらからもアンケートにお答えいただけます。

ご協力ありがとうございました。ご記入いただきましたお客様の個人情報は、下記の目的で使用させていただく場合がございます。

●ご注文書籍の発送、お支払等の確認のご連絡　●弊社新刊・サービスのDM

●チラシ・広告・ポップ等へのご意見・ご感想の掲載　●弊社出版物企画の参考

【個人情報に関するお問い合わせ先】

■金の星社　お客様窓口　電話 03-3861-1861　E-mail usagi1@kinnohoshi.co.jp

昔話の登場人物たちを現代の法律で裁く
NHK Ｅテレ人気番組を小説化

昔話法廷シリーズ

全4巻

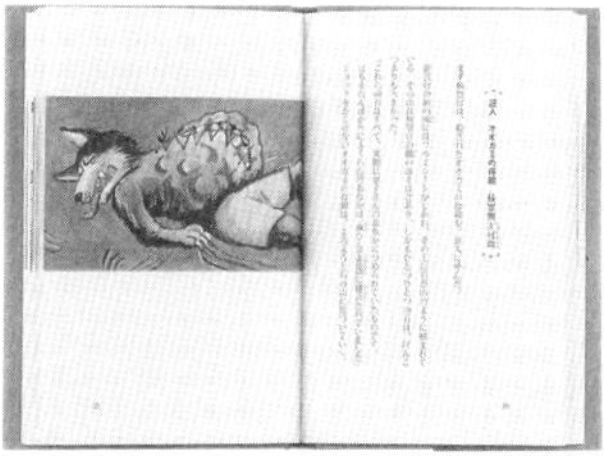

Season4
作品詳細ページ

NHK　Eテレ「昔話法廷」制作班：編／イマセン：法律監修／伊野孝行：挿画
各巻定価（本体 1,300 円＋税）

◆昔話法廷
原作：今井雅子　127 ページ

第 1 章「三匹のこぶた」裁判
第 2 章「カチカチ山」裁判
第 3 章「白雪姫」裁判

◆昔話法廷 Season2
原作：オカモト國ヒコ　127 ページ

第 1 章「アリとキリギリス」裁判
第 2 章「舌切りすずめ」裁判
第 3 章「浦島太郎」裁判

◆昔話法廷 Season3
原作：坂口理子　119 ページ

第 1 章「ヘンゼルとグレーテル」裁判
第 2 章「さるかに合戦」裁判

◆昔話法廷 Season4
原作：坂口理子　125 ページ

第 1 章「ブレーメンの音楽隊」裁判
第 2 章「赤ずきん」裁判

金の星社　大人の心に響く本

武器より一冊の本をください
少女マララ・ユスフザイの祈り

ヴィヴィアナ・マッツァ 著／横山千里 訳

一人の子ども、一人の教師、一冊の本、一本のペン、それで世界は変えられる。教育のために闘う少女マララ・ユスフザイの物語。

定価（本体 1,400 円＋税）

作品詳細ページ

“ふがいない自分”と生きる　渡辺和子
NHK「こころの時代」

NHK Eテレ「こころの時代～宗教・人生～」制作班 編

「ふがいない自分」を認めて、その自分とどうつきあっていくか。よりよく生きていくためのやさしいヒントが満載。

定価（本体 1,100 円＋税）

作品詳細ページ

ハッピーバースデー
（文芸書版）

青木和雄 吉富多美 作

娘を愛せず、精神的虐待を加える母・静代。しかし静代の見せかけの鎧は徐々に剥がされていく。愛に餓え、愛を求めて彷徨う母娘の再生の物語。

定価（本体 1,200 円＋税）

作品詳細ページ

これがはじまり

グレタは**ノーベル平和賞の候補《こうほ》**になりました。グレタを推薦《すいせん》したノルウェーの国会議員三人は、このまま気候変動を止めるための取り組みをせずにいれば、新たに戦争や対立が起こり、さらに難民《なんみん》が増《ふ》えるからだと、推薦《すいせん》した理由を説明しました。

でも、グレタに賞をあたえたら、もう何もしなくてもいいわけではありません。スローガンや約束が、つくったら終わりではないように、賞は、あたえたら終わりではないのです。気候危機《きき》に本気で取り組むのなら、社会として、大切なものは何か、ひとつの国のなかだけでなく、世界中で、もっと本気で見直さなければなりません。

「未来のために戦わなくてはならないのは、わたしたち子どもではないかもしれません。
でも、わたしたちはここに来ています。大人がだれも何もやっていないからです」

ローマでおこなったスピーチで、スウェーデンの若《わか》き環境《かんきょう》活動家は最後にそう言いました。

「わたしたちが学校をおろそかにしていると言う人たちがいますが、実際《じっさい》のところ、わたしたちは世界を変えています。年をとって、昔をふり返ったとき、できることはすべてやったと言えるでしょう」

グレタは同じ年頃《としごろ》の子たちについて、少し考えを変えました。気候に関するデモに

2019年4月19日
ローマでデモに参加する人々とグレタ（写真：ロイター / アフロ）

たくさん参加してみて、みんなそれほどいじわるではないとわかったのです。

ローマで集合写真をとるとき、ステージ上のグレタを、みんながとても優《やさ》しく囲みました。**SKOLSTREJK**《スコールストレイク》 **FÖR**《フォ》 **KLIMATET**《クリマーテット》〈気候のための学校ストライキ〉と書かれたプラカードは、しばらくの間、すみに置かれていました。

ストックホルムにいるときの楽しみは、特別な友だち、フレイヤに会いに行くことです。まわりをうろうろしている犬のロキシーに注意しながら、フレイヤのひづめをきれいにしてやり、体にブラシをかけてやります。

「マッサージみたいなものです」

フレイヤはがんこなので、口にハミという馬具を入れるのに、少し時間がかかります。

雪におおわれた森のなかを、フレイヤに乗ってゆっくりまわると、グレタはほっとします。

たとえ、この冬のスウェーデンに、いつもより雪が降《ふ》らなかったとしても。

2章

世界にいる
グレタの仲間たち

マヤ・ブラウワー（オランダ）

気候学者の予想を聞くたび、マヤは何もできない自分をむなしく感じていました。マヤのお母さんは、面倒《めんどう》だからという理由で、ごみの分別をしませんでした。マヤはベジタリアンで、シャワーを短く済《す》ませていましたが、それだけでは地球を救えないとわかっていました。

二〇一八年十月、グレタがスウェーデンでおこなった気候のためのストライキが、オランダでもおこなわれると知ると、マヤは自転車に乗り、雨のなかペダルをこいで国会議事堂へ向かいました。国会議事堂の前には環境《かんきょう》活動家たちが集まっていました。

マヤは政治家《せいじか》や企業《きぎょう》、ふつうの人々《ひとびと》が環境《かんきょう》についての意識《いしき》を高められるように、団《だん》

体《たい》を立ち上げたいと思っています。Wake《ウェーク》 up《アップ》!(目を覚ませ!)と名づけるつもりです。

アヌーナ・デ・ウェーフェルとキーラ・ガントワ(ベルギー)

二人はフランドル地方に住む学生で、十七歳《さい》と十九歳《さい》の友だち同士です。ブリュッセルで毎週木曜日、数千人の若者《わかもの》たちがデモに参加するきっかけをつくりました。

すべては十二月の終わりにはじまりました。グレタのまねをして、**通りに出て、政《せい》治家《じか》たちに気候変動について行動させようと**、同じ年頃《としごろ》の若者《わかもの》たちに呼《よ》びかける動画をフェイスブックにあげました。動画は、その日の朝だけで三万五千回も再生《さいせい》されました。

ホリー・ギリブランド　（イギリス）

ホリー・ギリブランドは、自然やサッカーをすること、山に行くことが大好きな、よくいる十三歳《さい》の女の子です。

気候変動が危《あぶ》ないものであることをわかってもらうために、スコットランドのフォート・ウィリアムという町で、毎週金曜日に学校の前でプラカードを持って抗議《こうぎ》活動をしています。一時間だけ学校を休むことになりますが、これは必要な犠牲《ぎせい》だと思っています。

ホリーの横にはいつもクラスメートの仲間たちがいます。お父さんとお母さんはエコロジストで、ホリーを支《ささ》えてくれます。ホリーは**環境《かんきょう》についてのコラムニスト**としてフォート・ウィリアムの新聞に協力しています。

ミリアム・マルティネッリ（イタリア）

ミリアムは十六歳《さい》のとき、イタリアの**未来のための金曜日**の代表のひとりになりました。ミラノ郊外《こうがい》にある農業高校の生徒で、大気汚染《おせん》を減《へ》らすため、車で送ってもらわずに、公共交通機関を使って、毎日一時間四十五分かけて学校に通っています。毎週金曜日にはストライキをしています。お父さんとお母さんはミリアムの活動を喜んでいますが、授業《じゅぎょう》を欠席しているせいで、進級できないこともあるのでは？　とお母さんは心配もしています。ミリアムの夢《ゆめ》はアグリトゥーリズモ（農家に泊《と》まりながら、収穫《しゅうかく》などの農作業やチーズ、料理づくりなどいろいろな体験ができるイタリアの民宿）をはじめることですが、グレタのまねをして環境《かんきょう》のためのデモに参加してからは、大人になったら政治《せいじ》の世界に入ろうかと思いはじめています。

アレクサンドリア・ヴィラセニョール（アメリカ合衆国《がっしゅうこく》）

アレクサンドリアは十三歳《さい》の中学生です。二〇一八年十二月から、毎週金曜日に、ひとりで抗議《こうぎ》活動をはじめました。気温がマイナス十四度の日も、ニューヨークの国連本部の前に立ちました。

抗議《こうぎ》活動をするようになったのは、カリフォルニア州北部に住む親戚《しんせき》を訪《たず》ねたのがきっかけでした。山火事で何ヘクタールもの森が燃《も》えて、百人近い人が亡《な》くなったとき、ぜんそく持ちのアレクサンドリアは息がつまりそうになり、何日も具合が悪くなりました。そして、コロンビア大学で気候学を学んだお母さんに手伝ってもらいながら、気候変動に関する資料《しりょう》を集めるようになりました。

※二〇一九年五月現在《げんざい》の内容《ないよう》です。

3章

「気候変動」ってなんだろう？

気候とはなんですか？

「天気はどう？」ってどれくらい聞いたことがありますか？　雨が降《ふ》っている、日が出ている、風が強い、寒い、暑い……。窓《まど》から外を見て、様子を見れば、どんな天気なのかわかります。

気候は天気とは少しちがいます。気候は短い時間ではなく、**ある地域《ちいき》のとても長い期間の気象条件《きしょうじょうけん》全体**に関わるものです。今日、寒くて雪が降《ふ》ったからといって、寒い気候のところにいるとはいえません。寒くて、天気が悪いだけです。ある地域《ちいき》の気候を特定するには、いくつかのデータ（気温、降水量《こうすい》、湿度《しつど》、風）を、何年も――少なくとも三十年は記録しなければなりません。

昔の気候はどうだったのですか？

まず、〈古気候学者〉とは何をする人か知っていますか？　〈古生物学〉と同じ〈古〉という文字がついています。古生物学という学問については聞いたことがあるかもしれません。恐竜《きょうりゅう》の化石などを分析《ぶんせき》して、昔の生物を研究する学問です。古気候学者は、氷河《ひょうが》や化石、岩、植物を分析《ぶんせき》して、昔の気候を研究する科学者です。

古気候学者によると、わたしたちの惑星《わくせい》、地球では、太陽活動変動や地球の軌道《きどう》の変化、火山活動などといった自然の要因《よういん》でこれまでに何度も気候が変わりました。たとえば、氷期が何度かありました。最後の氷期は約一万年前に終わりました。氷期の間は、大陸の広大な地域《ちいき》が完全に氷におおわれました。

なぜ今、地球の気候は変わっているのですか？

今、問題になっている**気候変動**は、自然に起きたものではありません。平均気温《へいきん》が上がったために、洪水《こうずい》や砂漠化《さばくか》などが起きていて、その責任《せきにん》はすべて人類にあります。でも、わたしたち人類はこの十年間、どんなことをしてしまって、その結果、どのように地球の気候が変わってしまったのでしょうか？　それを知るためには、まずは温室効果《こうか》を知るところからはじめましょう。

「温室効果《こうか》」とはなんでしょうか？

温室に入ると、なかはとても暑く感じます。ガラスを通して入ってくる太陽の光の熱で温室のなかは温められますが、温室のなかで生まれた熱は外に出ていくことができません。温められた物質《ぶっしつ》から出た赤外線は、太陽光線とちがって、ガラスで閉《と》じこめられてしまうからです。言いかえれば、温室のなかに入ってくる太陽の光から熱が生まれ、そのままなかに閉《と》じこめられるのです。

地球上でも同じことが起きています。温室で起きる現象《げんしょう》と似《に》ているので、**温室効果《こうか》**と名づけられました。

もちろん地球は温室のようにガラスでさえぎられているわけではありません。熱を閉《と》じこめているのは、地球を包んでいる大気中のガス（**温室効果《こうか》ガス**）です。こういったガスのなかで、主役の座《ざ》をあたえられているのは二酸化炭素《にさんかたんそ》です。CO_2という化学式で知られています。

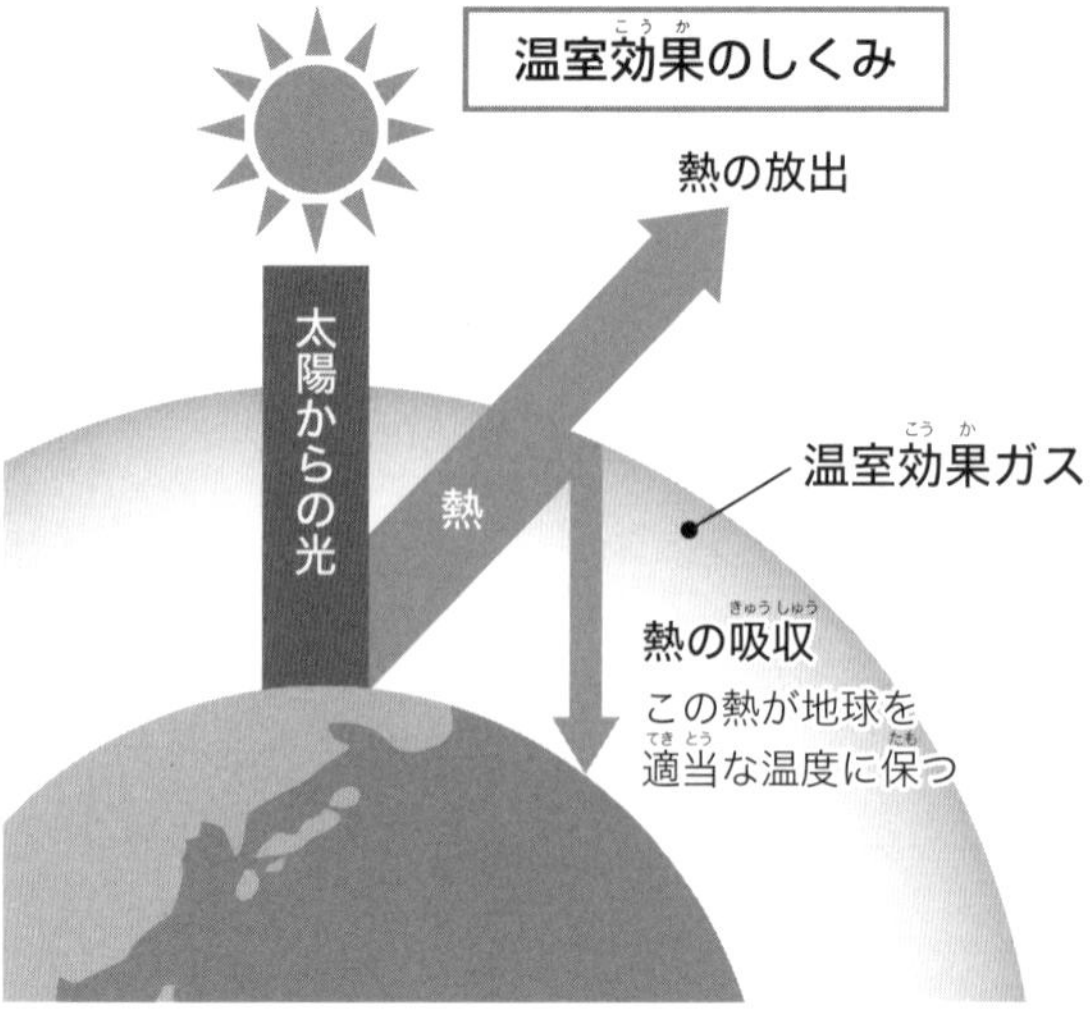

「地球温暖化《おんだんか》」とは、どういうものですか？

温室効果《こうか》が自然に起きるものなら、気候の話題になるたび、悪く言われるのはなぜなのでしょうか？

それは、わたしたちの活動（工業、冷暖房《れいだんぼう》、輸送《ゆそう》など）によって、大気中に**温室効《こう》果《か》ガス**が大量に流れ出し、そのまま残って、温室効果《こうか》を大きくしているからです。二《に》酸化炭素《さんかたんそ》のほかに、メタンや亜酸化窒素《あさんかちっそ》といった温室効果《こうか》ガスがあります。

温室効果《こうか》ガスがたまると、温室効果《こうか》が高まり、実際《じっさい》に地球を暖《あたた》めます。水蒸気《すいじょうき》は水の循環《じゅんかん》のかたちのひとつとして自然にあるものですが、温室効果《こうか》があります。人間の力で調整できるものではないので、地球温暖化問題で対象とする温室効果《こうか》ガスの仲間には入れられていませんが、水蒸気《すいじょうき》の場合、気温を上げるほかのガスがたまればたまるほど、大気中の量が増《ふ》え、より悪循環《じゅんかん》を引き起こします。

このようなさまざまな作用が連鎖《れんさ》して起こるのが**地球温暖化《おんだんか》**です。平均《へいきん》気温が上がり、極地から熱帯雨林まで、また山から海まで、地球のあらゆる地域《ちいき》の生活環境《かんきょう》がバランスを保《たも》てなくなってしまうのです。

地球の気温は、どれくらい上がったのですか？

科学者たちの計算によると、地球の平均《へいきん》気温はこの百年間で一度近く上がりました。

日本では、約一・二度上がっています。

とても小さな変化のように思えるかもしれませんが、実際《じっさい》には大きな問題を起こしています。海水温が少しでも上がれば、竜巻《たつまき》や豪雨《ごうう》といった**異常気象**《いじょうきしょう》がさらによく起きるようになります。

何も手を打たないと、平均《へいきん》気温は、二〇三〇年までに**一・五度**、今世紀の終わりには**三度**上がり、危《あぶ》ないとされる温度をこしてしまうかもしれません。

次ページのグラフは、その年ごとの平均《へいきん》気温が一九八一年から二〇一〇年までの三十年間の平均《へいきん》気温と比《くら》べて何度高いか、もしくは低いのかを示《しめ》したものです。グラフの〇・〇の部分（太い破線《はせん》部分）が、一九八一年から二〇一〇年までの平均《へいきん》気温です。

この線より上にいけばいくほど、一九八一年から二〇一〇年までの三十年間の平均《へいきん》気温よりも、その一年の気温が高かったということです。点を結んだ折れ線グラフがガタガタしていることからもわかるように、一年ごとの値《あたい》はさまざまです。

しかし、一九九〇年をすぎたあたりから、点の位置も折れ線の位置も、〇・〇の線よりも下に下がることがほとんどなくなってきていることがわかります。つまり、気温が一九八一年から二〇一〇年までの平均《へいきん》気温よりも高い年が多くなっている

日本の年平均《へいきん》気温の変化

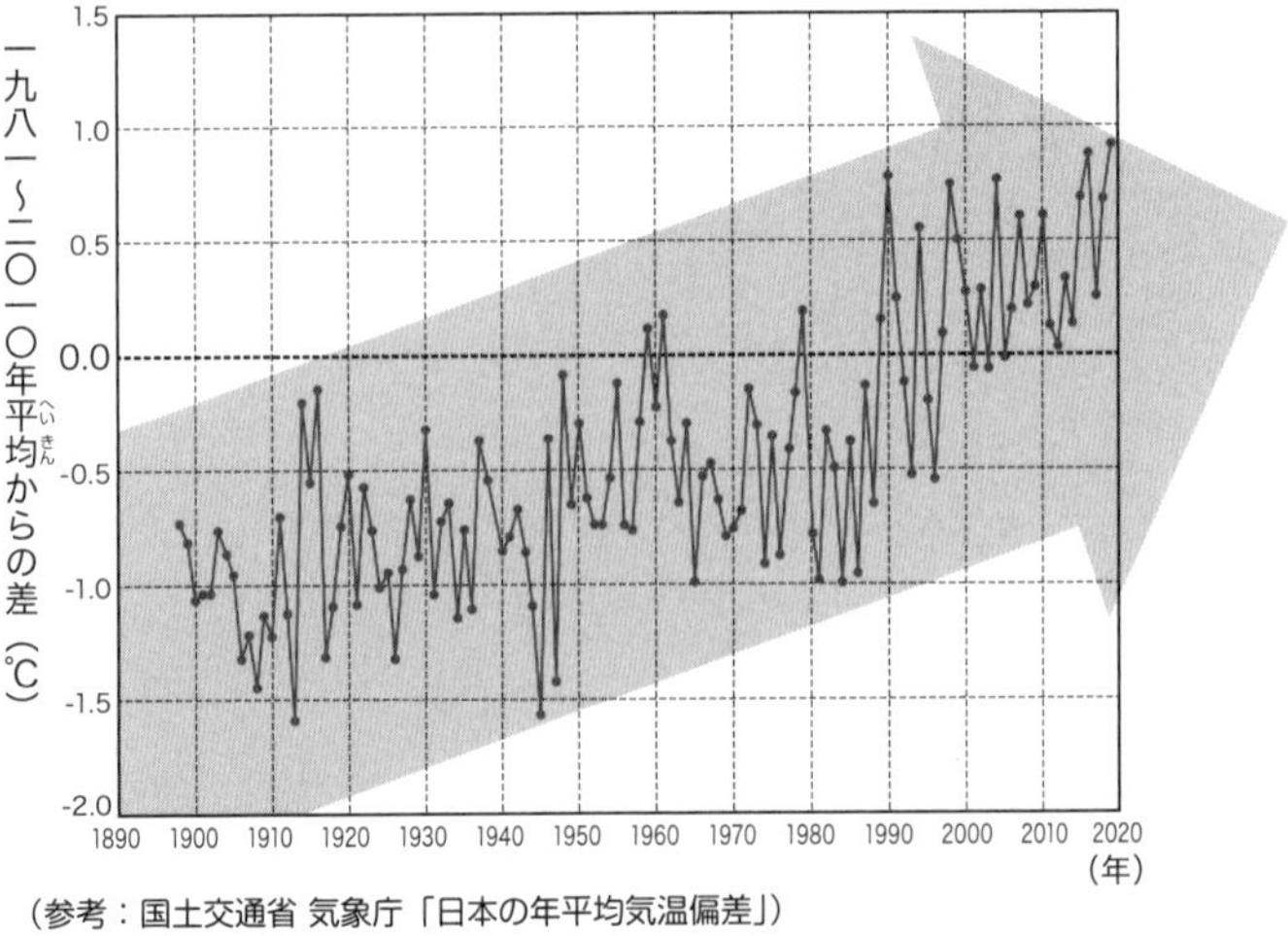

（参考：国土交通省 気象庁「日本の年平均気温偏差」）

ということです。ですから、昔より、気温が高めになってきているということがわかります。

地球の温度は、どうやって計るのですか？

温度計を使って地球の温度を計るのは、少し難《むずか》しいかもしれません。

そこで、科学者たちは陸上や海中のあちこちにたくさんの温度計を置いて、その温度計が記録したデータを集めて分析《ぶんせき》しています。さらに、特別なゴム気球を用いた装《そう》置《ち》や気象衛星《きしょうえいせい》を使って、大気の温度もチェックしています。

気候に何が起きているのか、どうやって調べているのですか？

気候学者は気温に関する**データ**を集めるほかに、氷のとけ方や海面の上昇《じょうしょう》、ハリケーンのような**異常気象**《いじょうきしょう》がどのくらいの頻度《ひんど》で起きているのかといった、**目に見える現象**《げんしょう》を観察します。また、気温や湿度《しつど》の変化が作物にあたえる影響《えいきょう》をチェックします。**サンゴ礁**《しょう》に目に見えるダメージがないかも調べます。水温が変わると、傷《きず》つきやすいからです。そのほか、モデルとなるデータをつくって、**シミュレーション**をおこなうこともあります。

だれがこうした問題に取り組むべきですか？

気候変動はみんなに影響《えいきょう》をあたえています。グレタの**行動**は、わたしたちにそのことをはっきりとわからせてくれます。けれど、気候変動を止めるには、国内レベル・国際《こくさい》レベルで、大事なことを決める立場の人たちが、**化石燃料《ねんりょう》**[*1]を使うのをやめて、**再《さい》[*2]生《せい》可《か》能《のう》なエネルギー**を選び、温室効果《こうか》ガスの**排出《はいしゅつ》を減《へ》らす**ための共有のルールを決めることに同意しなければなりません。

出発点となる科学情報《じょうほう》を出しているのは、ＩＰＣＣ（気候変動に関する政府間《せいふかん》パネル）の科学者たちです。

＊1・＊2　108ページ参照。

気候変動について、国際《こくさい》レベルで話し合うことはありますか？

条約《じょうやく》を結んだ国、都市、地域《ちいき》および国際《こくさい》機関が集まる会議、いわゆるＣＯＰ（国連**気候変動枠組《わくぐみ》条約《じょうやく》締約《ていやく》国会議《こくかいぎ》**）で、各国の代表者たちが、気候について話し合いを続けています。この会議は国連（国際《こくさい》連合）の会議のひとつで、ＵＮＦＣＣＣ（国連気候変動枠組《わくぐみ》条約《じょうやく》）という気候変動に関わる部門でおこなわれます。

二十世紀のＣＯＰのなかでは、一九九七年に日本で開かれたＣＯＰ3が有名です。地球温暖化《おんだんか》の原因《げんいん》となる温室効果《こうか》ガスの排出《はいしゅつ》量を制限《せいげん》しようという重要な条約《じょうやく》、**京都議定書**が採択《さいたく》されたからです。二〇一五年にフランスで開かれたＣＯＰ21では、**パリ協定**が採択《さいたく》されました。これによって、地球の平均《へいきん》気温が上がるのを一．五度におさえ

パリ協定 各国の削減《さくげん》目標

国名	削減《さくげん》目標	
日本	2030年度までに **26**%削減《さくげん》 ＊2005 年度比《ひ》では 25.4%削減《さくげん》	2013年度比《ひ》
中国	GDP 当たりの CO_2 排出《はいしゅつ》を 2030年までに **60～65**%削減《さくげん》	2005年比《ひ》
EU	2030年までに **40**%削減《さくげん》	1990年比《ひ》
インド	GDP 当たりの CO_2 排出《はいしゅつ》を 2030年までに **33～35**%削減《さくげん》	2005年比《ひ》
ロシア	2030年までに **70～75**%に抑制《よくせい》	1990年比《ひ》
アメリカ	2025 年までに **26～28**%削減《さくげん》	2005年比《ひ》

2015 年 10 月 1 日現在 ※アメリカは 2017 年にパリ協定の離脱を宣言。

（出典：国連気候変動枠組条約に提出された約束草案をもとに作成）

るための世界的な取り組みの計画がはじめて定義《ていぎ》されました。計算によると、この目標を成しとげるためには、二〇三〇年までに温室効果《こうか》ガスの排出《はいしゅつ》量を半分に減《へ》らさなければなりません。日本の目標は、二〇一三年度と比《くら》べて温室効果《こうか》ガス排出《はいしゅつ》量を二十六パーセント削減《さくげん》することです。

「2030アジェンダ」とはなんですか？

「アジェンダ」とは、行動計画という意味です。**持続可能《かのう》な開発のための2030アジェンダ**は、国連に加盟《かめい》する百九十三か国の政府《せいふ》によって二〇一五年に採択《さいたく》された計画です。この計画は二〇三〇年までに各国政府《せいふ》が持続可能《かのう》な開発目標（ＳＤＧｓ）を達成すると決めたため、この名前で呼《よ》ばれています。

この目標には貧困対策《ひんこんたいさく》から気候変動を止めるための努力まで、世界共通のおもな問題がふくまれています。経済《けいざい》、社会、環境《かんきょう》といった持続可能《かのう》な開発の三つの面が、おたがいに関連し、分けられず、バランスを保《たも》っている状態《じょうたい》を理想としています。

特に目標第十三番「気候変動に具体的な対策《たいさく》を」は、経済《けいざい》、エネルギーの選択《せんたく》、農業、

Sustainable Development Goals
世界を変えるための持続可能《かのう》な開発目標

1 貧困《ひんこん》をなくそう

2 飢餓《きが》をゼロに

3 すべての人に健康と福祉《ふくし》を

4 質《しつ》の高い教育をみんなに

5 ジェンダー平等を実現《じつげん》しよう

6 安全な水とトイレを世界中に

7 エネルギーをみんなに そしてクリーンに

8 働きがいも経済《けいざい》成長も

9 産業と技術《ぎじゅつ》革新《かくしん》の基盤《きばん》をつくろう

10 人や国の不平等をなくそう

11 住み続けられるまちづくりを

12 つくる責任《せきにん》つかう責任《せきにん》

13 気候変動に具体的な対策《たいさく》を

14 海の豊《ゆた》かさを守ろう

15 陸の豊《ゆた》かさも守ろう

16 平和と公正をすべての人に

17 パートナーシップで目標を達成しよう

健康、貧困《ひんこん》に影響《えいきょう》しています。それらは、砂漠化《さばくか》や異常気象《いじょうきしょう》に見まわれた地域《ちいき》からにげざるをえなかった人たちの流れにも影響《えいきょう》し、ほかのすべてとつながっていきます。

グレタが気候に取り組むことにしたのはなぜですか？

気候変動の問題に取り組む組織《そしき》があり、すでに協定が採択《さいたく》されているのなら、グレタはなぜこの問題への注意を引く必要があると感じ、**未来のための金曜日**のきっかけとなった、学校ストライキをおこなったのでしょうか？

実は、協定が採択《さいたく》されたとはいえ、温室効果《こうか》ガスの排出《はいしゅつ》量を減《へ》らすための取り組みは、わずかしかおこなわれていないのです。世界では、相変わらず石油や石炭をほり、広い地域《ちいき》の森林が切られ、公害を生む交通機関が使われていて、わたしたちの生活は未だに持続可能《かのう》ではありません。つまり、必要以上にものを消費《しょうひ》し、資源《しげん》を無駄《むだ》づかいし、大気をよごしているのです。

「エコロジカル・フットプリント」とはなんですか？

エコロジカル・フットプリントとは、人間が地球環境《かんきょう》にかけている負荷を示《しめ》す、ものさしのようなものです。国レベルでも一市民レベルでも、地球上で起こる活動はすべて、使われた資源《しげん》（食品、物質《ぶっしつ》、輸送《ゆそう》、廃棄物処理《はいきぶつしょり》、エネルギーなど）が環境《かんきょう》にあたえる影響《えいきょう》、**エコロジカル・フットプリント**を残します。「エコロジカル」は「環境《かんきょう》の」、「フットプリント」は「足あと」という意味です。エコロジカル・フットプリントが大きいほど、地球にあたえる負荷が大きいということです。

エコロジカル・フットプリントのなかで、もっとも重要なものはカーボン・フットプリントです。カーボン・フットプリントは、商品の計画段階《だんかい》から廃棄《はいき》・リサイクル段階《だんかい》までに発生する温室効果《こうか》ガスを、すべて二酸化炭素《にさんかたんそ》に置きかえた場合の排出《はいしゅつ》量の合計です。グレタとその家族がおこなったように、食生活をビーガンに切りかえる、あるいは移動《いどう》に飛行機を使わないようにすると、フットプリントは大きく減《へ》り、地球にとって、より持続可能《かのう》な生活になります。

また、肉を食べる量を減《へ》らすと、地球温暖化《おんだんか》がおさえられるともいわれていま

地球は何個《なんこ》必要になる？

もし世界人口がその国と同じように生活したら……

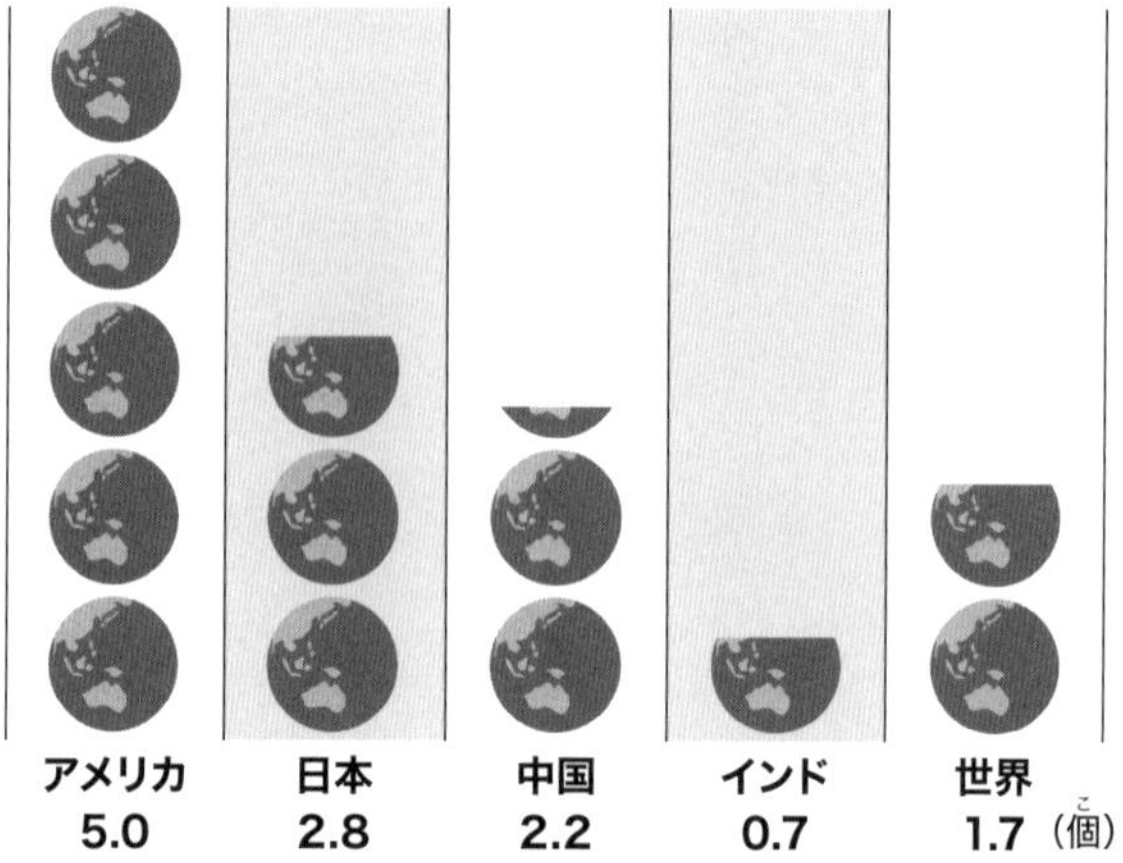

（出典：WWF ジャパン「グローバル・フットプリント・ネットワーク，NFA2018」より）

す。肉を生産するには動物を育てなければなりません。動物を育てると、大量の温室効果《こうか》ガスを生むだけでなく、資源《しげん》（そのなかには水もふくまれます）やエネルギーをたくさん消費《しょうひ》しなければならないからです。特に牛肉の生産は、カーボン・フットプリントがとても多くなります。

わたしにできることはありますか？

小さなひとつひとつの行動を変えることが大切です。

● どこかへ行くときは、歩くか、自転車や公共交通機関を使いましょう。車や飛行機はできるだけ使わないよう、大人と話し合いましょう。

●バランスのとれた食生活をして、遠くから運ばなくて済《す》むように、地元で生産された、その季節の食べものを選びましょう。肉の消費《しょうひ》量を減《へ》らしましょう。

●買いものをするときは、包装《ほうそう》やプラスチックの無駄《むだ》づかいに気をつけましょう。くり返し使える布《ぬの》のバッグをいつも持ち歩きましょう。

●食べものや洋服、物、本を無駄《むだ》にしないようにしましょう。ごみそのものを減《へ》らす「Ｒｅｄｕｃｅ《リデュース》」、何度もくり返し使う「Ｒｅｕｓｅ《リユース》」、資源《しげん》として再利用《さいりよう》する「Ｒｅｃｙｃｌｅ《リサイクル》」という〈３Ｒ〉を心がけましょう。

●より持続可能《かのう》な生活を送り、地球をオーバーヒートから救うためには何をすべきか、友だちやクラスメート、家族などに教えてあげましょう。

巻末付録《かんまつふろく》

◆国連気候変動サミットでのスピーチ
(2019 年 9 月 23 日)

◆世界経済《けいざい》フォーラム年次総会《そうかい》(ダボス会議)
でのスピーチ (2020 年 1 月 21 日)

本書では、グレタの素顔《すがお》やこれまでおこなってきた彼女《かのじょ》の活動《かつどう》などを紹介《しょうかい》してきました。ここでは、その後の動向を伝えるために、国際《こくさい》会議の場でのスピーチ（和訳）を二本掲載《けいさい》しています。気候変動や彼女《かのじょ》への理解《りかい》をより深めるための手がかりにしてください。

国連気候変動サミットでのスピーチ

（二〇一九年九月二十三日）

わたしが伝えたいのは、わたしたちはあなたたちを見張《みは》っているということです。すべてまちがっています。わたしはここにいるべきではありません。海の向こうの学校にもどるべきなのです。それでも、あなたたちはみんな、わたしたち若《わか》者《もの》のところへ、希望を求めてやってきます。よくもまぁ、そんなことができますね！

あなたたちは空っぽな言葉で、わたしの夢《ゆめ》を、わたしの子ども時代をうばったのです！　それでも、わたしはまだめぐまれています。人々《ひとびと》は苦しんでいます。人々《ひとびと》は死にかけています。生態系《せいたいけい》はすべて、くずれつつあります。大量絶滅《ぜつめつ》がはじまろうとしているというのに、あなたたちが口にするのは、お金のことや、経《けい》済《ざい》がいつまでも成長し続けるというおとぎ話だけ。よくもまぁ、そんなことができますね！

三十年以上もの間、科学ははっきりと示《しめ》していました。あなたたちは目をそらし続けたくせに、ここにやってきて「十分にやっている」なんて、よくもまぁ、そんなことが言えますね。必要とされる政策《せいさく》も解決策《かいけつさく》もまだどこにも見られないのに。

わたしたちの話は聞いているし、緊急《きんきゅう》であることはわかっていると、あなたたちは言います。でも、どんなに悲しく、いかりを感じても、わたしはその言葉を信じたくありません。あなたたちがこのありさまを本当にわかっていて、それでも行動を起こさずにいるのなら、あなたたちは悪者です。だから、信じることをこばみます。

十年間で温室効果《こうか》ガスの排出《はいしゅつ》量を半分に減《へ》らすという考えが広まっていますが、それによって気温の上昇《じょうしょう》を一・五度以内におさえられる可能性《かのうせい》は五十パーセントにすぎず、人間の力ではコントロールできない、あともどりできない連鎖反応《れんさはんのう》を引き起こす危険《きけん》があります。

五十パーセントという数字はあなたたちには受け入れられるものかもしれませんが、これらの数値《すうち》にはティッピング・ポイント（小さな変化が続いたあと、突然《とつぜん》大きな変化が起こるポイント）やほとんどのフィードバックループ（気候変動によって起こる現象《げんしょう》が、さらに気候変動を起こすという悪循環《じゅんかん》）、有毒《ゆうどく》な大気汚染《おせん》にかくされたさらなる温暖化《おんだんか》、公平性《こうへいせい》や気候正義《せいぎ》*といったようなことはふくまれていません。

＊ 化石燃料《ねんりょう》を大量消費《しょうひ》してきた先進国が、気候変動への責任《せきにん》を先頭に立って果たす考え。

この数字は、わたしたちの世代が、大気から何千億トンもの二酸化炭素《にさんかたんそ》を吸収《きゅうしゅう》することを当てにしていますが、そんな技術《ぎじゅつ》はほとんど存在《そんざい》していません。だから、五十パーセントのリスクというのは、わたしたちには絶対《ぜったい》に受け入れられません。その結果と共に生きていかなければならないのは、わたしたちなのですから。

ＩＰＣＣが示《しめ》したもっとも高い確率《かくりつ》によると、気温の上昇《じょうしょう》を一・五度以内におさえられる可能性《かのうせい》は六十七パーセントです。それを実現《じつげん》するためには、二〇一八年一月一日までさかのぼって、あと四百二十ギガトンの二酸化炭素《にさんかたんそ》しか放出できない計算になります。今日では、この数字はあと三百五十ギガトンまでに減《へ》っています。

今までのやり方で、なんらかの技術的解決《ぎじゅつてきかいけつ》ができるふりをするなんて、よくもまぁ、そんなことができますね？　今の排出《はいしゅつ》レベルのままでは、八年半もしないうちに炭素予算*の上限《じょうげん》を完全にこえてしまうでしょう。

＊　気温上昇《じょうしょう》を一定のレベルにおさえるために求められる、温室効果《こうか》ガスの過去《かこ》の排出量《はいしゅつ》と将来《しょうらい》の排出量《はいしゅつ》の合計の上限値《じょうげんち》。

今日、これらの数値《すうち》に沿《そ》った解決《かいけつ》方法や計画はまったくないでしょう。なぜなら、あなたたちにとってこれらの数値《すうち》はあまりにも都合が悪く、それをありのままに伝えられるほどの分別は、あなたたちにはないからです。

あなたたちはわたしたちを見捨《みす》てていますが、若者《わかもの》たちはあなたたちの裏切《うらぎ》りをわかりはじめています。未来の世代の目はあなたたちに向けられています。もし、あなたたちがわたしたちを裏切《うらぎ》ることを選ぶなら、わたしは言います。あなたたちを絶対《ぜったい》に許《ゆる》さないと。

あなたたちをにがしはしません。この場で、今、わたしたちは線を引きます。世界は目覚めつつあり、変化が訪《おとず》れています。あなたたちが好むか好まないかに関係なく。

ありがとうございました。

世界経済《けいざい》フォーラム年次総会《そうかい》（ダボス会議）でのスピーチ

（二〇二〇年一月二十一日）

一年前、わたしはダボス会議に来て、わたしたちの家が燃《も》えていると話しました。パニックになってほしいと言いました。温暖化《おんだんか》の危機《きき》を心配してパニックになるように伝えるのは、とても危険《きけん》なことだと、ずっと警告《けいこく》されています。けれども、心配はいりません。大丈夫《だいじょうぶ》です。信じてください。経験《けいけん》があるので、保証《ほしょう》できます。何も変わりません。

はっきり言っておきます。わたしたち子どもはパニックになってほしいと言っているのです。これまで通りに続けてほしいと言っているわけではありません。今日存在《そんざい》すらしていない、あるいは科学者によれば、おそらく将来的《しょうらいてき》にも存在《そんざい》することはないような技術《ぎじゅつ》にたよってほしいとは言っていません。だましたり、数字をごまかしたりして、「二酸化炭素排出量《にさんかたんそはいしゅつりょう》のネットゼロ」や「炭素中立《たんそ》」*を達成する話ばかりしてほしいとは言っていません。

だれかにお金をはらって、アフリカあたりに木を植えてもらって、二酸化炭素《にさんかたんそ》排出量《はいしゅつ》をうめ合わせしてほしいとは言っていません。同じときに、アマゾンのような森林が、比《くら》べものにならないほどの勢《いきお》いで大量に伐採《ばっさい》されているというのに。もちろん、木を植えるのはいいことです。けれども、二酸化炭素排出量《にさんかたんそはいしゅつ》をうめ合わせるには全然足りませんし、気候危機《きき》を本当に緩和《かんわ》したり、自然を取りもどしたりすることに代わるものではありません。

はっきりさせましょう。「低炭素経済《ていたんそけいざい》」は必要ありません。「二酸化炭素排出量《にさんかたんそはいしゅつ》を下げる」必要はありません。気温上昇《じょうしょう》を目標の一・五度以内におさえる見こみがあるのなら、二酸化炭素《にさんかたんそ》の排出《はいしゅつ》を止めなければならないのです。そして、排出《はいしゅつ》量を大きくマイナスにできる技術《ぎじゅつ》が得《え》られるまでは、ネットゼロ（ほぼゼロ）という考えは忘《わす》れなければなりません。わたしたちに必要なのはリアルゼロ（真のゼロ）です。

＊ 排出《はいしゅつ》される二酸化炭素《にさんかたんそ》と吸収《きゅうしゅう》される二酸化炭素《にさんかたんそ》が同じ量であるという概念《がいねん》。

なぜなら、わたしたちが炭素《たんそ》予算を無視《むし》し続けるなら、遠い未来のネットゼロ目標など、まったく意味がないからです。炭素《たんそ》予算は、今割《わ》り当てられているものです。遠い未来に割《わ》り当てられるものではありません。今のような高い排出《はいしゅつ》量が数年間続けば、残りの炭素《たんそ》予算はすぐに使いつくされてしまうでしょう。

アメリカがパリ協定から離脱《りだつ》しようとしているという事実は、人々《ひとびと》をおこらせ、不安にさせているようです。当然のことです。

けれども、パリ協定で締結《ていけつ》した長期目標をどの国も達成できていないという事実は、あなたたち有力者を少しもなやませているようには見えません。

あなたたちの計画や政策《せいさく》に、今すぐ徹底的《てっていてき》な排出削減《はいしゅつさくげん》に取り組むことがふくまれていないのであれば、気温の上昇《じょうしょう》を一・五度あるいは二度より十分低くおさえるというパリ協定の目標を達成するにはまったく不十分です。

くり返しますが、これは右派《うは》・左派《さは》という問題ではありません。政党《せいとう》など、わたしたちにはどうでもいいのです。

持続可能性《かのうせい》の観点からすれば、右派《うは》も左派《さは》も中道派《ちゅうどうは》も、ことごとく失敗しています。気候や環境《かんきょう》の緊急事態《きんきゅうじたい》に取り組んで、一貫性《いっかんせい》のある持続可能《かのう》な世界をつくり出すことのできた政治《せいじ》思想や経済構造《けいざいこうぞう》は存在《そんざい》しません。あなたたちは気づいていないかもしれないので、あえて言いますが、それは、今、その世界が燃《も》えているからです。

子どもたちは心配しなくていいと、あなたたちは言います。「わたしたちに任《まか》せなさい。直しておきますよ。がっかりさせないと約束します。そんなに悲観的にならないで」と。

そして……何もしません。だまっています。いえ、だまっているよりもひどいかもしれません。空っぽの言葉で約束するのは、あたかも十分な行動がとられているかのような印象《いんしょう》をあたえるからです。

今日の社会に解決策《かいけつさく》がそろっているわけではないことははっきりしています。新しい技術《ぎじゅつ》による解決策《かいけつさく》が実用化され、二酸化炭素排出量《にさんかたんそはいしゅつ》を大幅《おおはば》に削減《さくげん》できるま

＊右派《うは》は保守的《ほしゅてき》、反動的、排外主義的《はいがいしゅぎてき》な思想や運動のこと。左派《さは》は急進的、革新的《かくしんてき》な思想や運動のこと。中道派《ちゅうどうは》はその間の思想のこと。

で待つ時間もありません。

それゆえ、持続可能《かのう》な世界に移行《いこう》するのはもちろん簡単《かんたん》ではないでしょう。難《むずか》しいでしょう。おたがいの手の内をすべて見せ合って、今、みんなでこの問題に取り組まなければ、解決《かいけつ》できないうちに時間切れとなってしまうでしょう。

五十周年となる世界経済《けいざい》フォーラムがはじまる前、わたしは気候変動活動家のグループに加わりました。わたしたちは、あなたたち、世界でもっとも力を持ち、影響力《えいきょうりょく》のある政財界《せいざいかい》のリーダーに、必要な行動を起こすことを要求します。

今年の世界経済《けいざい》フォーラムの場において、あらゆる企業《きぎょう》、銀行、機関、政府《せいふ》からの参加者に以下のことを要求します。

化石燃料《ねんりょう》の探査《たんさ》と採掘《さいくつ》への投資《とうし》をすべて、直ちに停止《ていし》してください。

化石燃料《ねんりょう》への補助金《ほじょきん》をすべて、直ちに終了《しゅうりょう》してください。

そして、直ちに化石燃料《ねんりょう》の使用を完全に中止してください。

二〇五〇年や二〇三〇年、二〇二一年までに実行してほしいのではありません。

今、実行してほしいのです。

多大な要求に見えるかもしれません。そして、あなたたちはわたしたちのことを世間知らずだと言うでしょう。けれども、持続可能《かのう》な世界に早急に移行《いこう》するための、必要最低限《さいていげん》なことにすぎません。

つまり、今これを実行するか、将来《しょうらい》、気温の上昇《じょうしょう》を一・五度以内におさえるという目標をあきらめた理由を自分の子どもに説明することになるか、どちらかです。やろうともせずに、あきらめた理由を。

さて、わたしがここに来たのは、あなたたちとちがって、わたしたちの世代は戦うことなくあきらめたりしないということを伝えるためです。

事実ははっきりしているのに、あなたたちにとってあまりにも都合が悪いため、取り組めないのです。

あなたたちが手を付けずにいるのは、あまりにも重苦しいので、人々《ひとびと》があきらめてしまうだろうと考えているからです。けれども、人々《ひとびと》はあきらめません。あきらめるのはあなたたちです。

先週、わたしはポーランド人の炭鉱《たんこう》労働者たちに会いました。炭鉱《たんこう》が閉鎖《へいさ》されたため、職《しょく》を失っていました。けれども、かれらでさえあきらめなかったのです。それどころか、わたしたちが変わらなければならないことを、あなたたちよりも理解《りかい》しているようでした。

失敗し、わかっていながら何もせず、自分たちの子どもが気候の混乱《こんらん》に直面することになってしまった理由について、どう説明するのでしょうか？　経済《けいざい》にとって悪影響《えいきょう》が大きいように思えたから、やってみようともせずに、未来の世代の生活環境《かんきょう》を守るのをあきらめたというのでしょうか？

わたしたちの家はまだ燃《も》えています。あなたたちが何もしないので、火は刻一《こくいっ》刻《こく》と激《はげ》しさを増《ま》しています。わたしたちはあなたたちに、何よりも子どもたちを愛しているかのように、行動を起こしてほしいと言っているのです。

ありがとうございました。

用語解説《かいせつ》

● 活動家

ストライキやマーチ（デモ行進）といった抗議《こうぎ》活動を通して、社会的または政治的《せいじてき》な変化を成しとげようとする人たちすべてのこと。

● 未来のための金曜日

グレタの金曜日のストライキに続いて起こった社会運動の名前。

● 化石燃料《ねんりょう》

石油や石炭、天然ガス（おもにメタン）といった再生不可能《さいせいふかのう》な、つまり、使いつくされる運命にあるエネルギー資源《しげん》。死んだ植物や動物が分解《ぶんかい》され、数百万年かかって地下で形成されるため、化石と呼《よ》ばれます。

● 再生可能《さいせいかのう》なエネルギー

太陽や風、水のような、使いつくされない資源《しげん》からつくり出されるエネルギーのこと。

● 持続可能性《かのうせい》

地球を大事にしながら、生活にいるもの（食べる、服を着る、どこかへ行く、家を暖《あたた》めるなど）を満たすことを可能《かのう》にするおこないを、まとめてこのように呼《よ》びます。

関連情報《じょうほう》

● WWF（世界自然保護基金《ほごききん》）

世界的な自然環境保護団体《かんきょうほごだんたい》で、自然保護《ほご》に力を注いでいる。

https://www.wwf.or.jp/

● グリーンピース

1970年にカナダのバンクーバーで生まれた、自然保護《ほご》と平和主義《しゅぎ》をかかげる非政府系《ひせいふけい》の団体《だんたい》。気候と環境全般《かんきょうぜんぱん》を守るため、不法侵入《しんにゅう》などの直接《ちょくせつ》行動をおこなうことで有名。

https://www.greenpeace.org/japan/

● 日本のフライデーズ・フォー・フューチャー

以下の三都市のほかにも、さまざまな地域で活動しています。

フライデーズ・フォー・フューチャー・トーキョー

https://www.facebook.com/fridaysforfuturejapan/

フライデーズ・フォー・フューチャー・ナゴヤ

https://www.facebook.com/FridaysforFutureNagoya/

フライデーズ・フォー・フューチャー・オオサカ

https://www.facebook.com/fridaysforfutureosaka/

Sara Gandolfi 「グレタ・トゥーンベリ：『わたしは反抗的で人づきあいが苦手。スピーチ原稿はひとりで書いています』」 コリエレ・デッラ・セーラ 2019 年 4 月 19 日
Leslie Hook 「フィナンシャル・タイムズとランチ　グレタ・トゥーンベリ：『人生でずっと、わたしはだれにも見えない女の子だった』」 フィナンシャル・タイムズ　2019 年 2 月 22 日
Sandra Laville 「『わたしはとてもおこっている』：気候活動のために学校ストライキ中の 13 歳」 ガーディアン　2019 年 2 月 8 日
Sandro Orlando 「わたしたちのグレタ、気候の擁護者、わたしたちの仕事と車と食事を変えた」 コリエレ・デッラ・セーラ　2019 年1月 23 日
Sandro Orlando 「ミリアム・マルティネッリへのインタビュー：『成績はとてもいいけれど、欠席が多いので、落第するかもしれません。肉を食べるのをやめています』」 コリエレ・デッラ・セーラ　2019 年 3 月 14 日
Stella Paul 「希望の集団」 モンディアール・ニーウス　2019 年 2 月 14 日（翻訳　インテルナツィオナーレ　2019 年 3 月 1 日）
Maximilian Probst 「無限の潜在能力」 ディー・ツァイト　2019 年 2 月 1 日（翻訳　インテルナツィオナーレ　2019 年 3 月 1 日）
Somini Sengupta 「〈だれにも見えない女の子〉が、わけありの地球気候十字軍に」 ニューヨーク・タイムズ　2019 年 2 月 18 日
Matthew Taylor 「イギリスの生徒たち、気候変動危機をめぐって世界的ストライキに参加する」 ガーディアン　2019 年 2 月 15 日
Jaap Tielbeke 「気候はだれにとって重要なのか」 デ・フルーン・アムステルダムメル　2018 年 11 月 28 日（翻訳　インテルナツィオナーレ　2019 年 3 月 1 日）
Graeme Wearden および Damian Carrington 「環境活動のための学校ストライキをおこなうティーンエイジャーの環境活動家がダボスへ」 ガーディアン　2019 年1月 25 日

出典

スピーチ

2018年9月8日　「民衆の気候マーチ」にて（ストックホルム）
2018年10月20日　「民衆の気候マーチ」にて（ヘルシンキ）
2018年10月31日　パーラメント・スクエアにて（ロンドン）
2018年11月24日　「TEDx」にて（ストックホルム）
2018年12月4日　「COP24（気候変動枠組条約　第24回締約国会議）」にて（カトヴィツェ）
2019年1月25日　「世界経済フォーラム年次総会」にて（ダボス）
2019年3月15日　マーチにて（ストックホルム）
2019年4月16日　欧州議会にて（ストラスブール）
2019年4月18日　イタリア上院にて（ローマ）
2019年4月19日　ポポロ広場にて（ローマ）
2019年9月23日　「国連気候変動サミット」にて（ニューヨーク）
2020年1月21日　「世界経済フォーラム年次総会」にて（ダボス）

書籍

『グレタたったひとりのストライキ』（マレーナ・エルンマン、ベアタ・エルンマン、グレタ・トゥーンベリ、スヴァンテ・トゥーンベリ著／羽根由訳／海と月社／2019年10月）

記事

Karin Ceballos Betancur 「グレタ・トゥーンベリ　新しい世界」ディー・ツァイト　2019年1月31日（翻訳　インテルナツィオナーレ　2019年2月8日）
David Crouch 「気候危機とたたかうために学校を休むスウェーデンの15歳」 ガーディアン　2018年9月1日
Michele Farina 「気候のためのグレタのストライキ『大人たちはわたしの未来を大事にしてくれない』」 コリエレ・デッラ・セーラ　2018年9月2日